5-4015-AC-III4-02

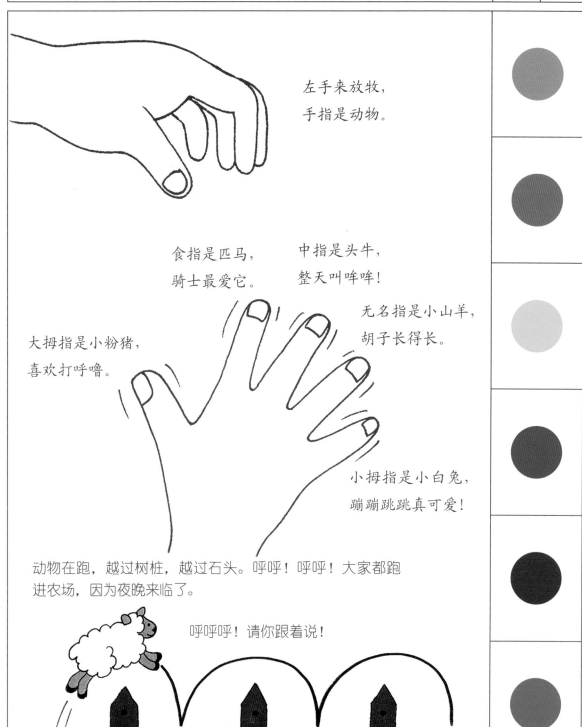

左手来放牧，
手指是动物。

食指是匹马，
骑士最爱它。

中指是头牛，
整天叫哞哞！

无名指是小山羊，
胡子长得长。

大拇指是小粉猪，
喜欢打呼噜。

小拇指是小白兔，
蹦蹦跳跳真可爱！

动物在跑，越过树桩，越过石头。呼呼！呼呼！大家都跑进农场，因为夜晚来临了。

呼呼呼！请你跟着说！

5-4015-AC-Ⅴ1-03

你认识这些动物宝宝吗？讲一讲它们都叫什么，并分别给它们涂上漂亮的颜色。

小马

小猫

小狗

小猪

小牛

小鸡

小山羊

在农庄里

1=C 4/4

| 1 <u>1 2</u> 3 1 | 2 2 0 0 | 1 <u>1 2</u> 3 1 | 2·2 2 0 |

1.公鸡在 农场 喔喔，　　公鸡在农场 喔 喔 喔。

5 5 4 2 | 3 0 0 0 | 5 5 4 2 | 3 1 1 — | 5 5 4 2 |

公鸡 喔喔 喔，　　　公鸡 喔喔 喔喔喔，　公鸡 喔喔

1 3 1 — ‖

喔 喔 喔。

2.鸭儿在农场 呷呷，鸭儿在农场 呷呷呷。
　鸭儿 呷呷呷，鸭儿 呷呷呷呷呷，
　鸭儿 呷呷呷呷呷。

3.猪儿在农场 噜噜，猪儿在农场 噜噜噜。
　猪儿 噜噜噜，猪儿 噜噜噜噜噜，
　猪儿 噜噜噜噜噜。

4.羊儿在农场 咩咩，羊儿在农场 咩咩咩。
　羊儿 咩咩咩，羊儿 咩咩咩咩咩，
　羊儿 咩咩咩咩咩。

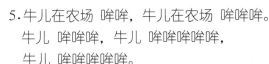

5.牛儿在农场 哞哞，牛儿在农场 哞哞哞。
　牛儿 哞哞哞，牛儿 哞哞哞哞哞，
　牛儿 哞哞哞哞哞。

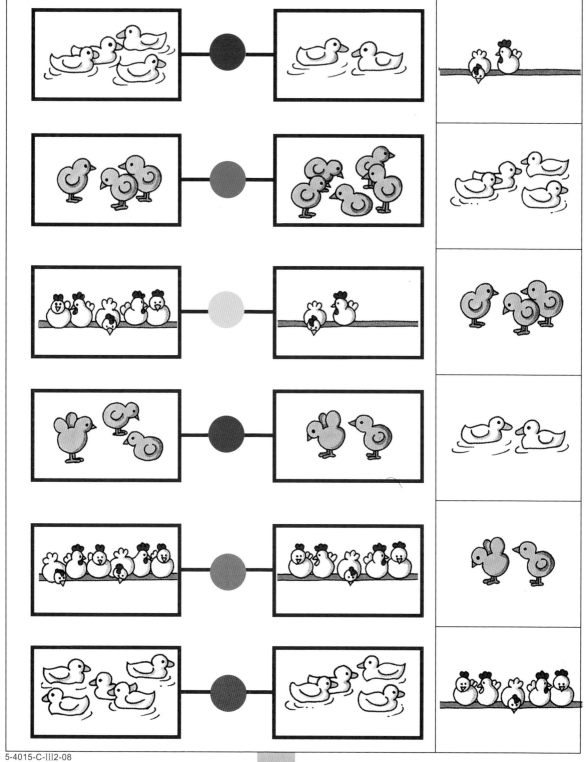

农场里有很多动物，每种动物的叫声都不一样，你能模仿它们的叫声吗？然后数一数每种动物各有多少只，并填在下面的方格中。

8

鸡妈妈正在孵蛋，每个鸡蛋会孵出一只小鸡。请你想一想，图中每只鸡妈妈能孵出几只鸡宝宝呢？请你从右边找出数量相应的鸡宝宝。

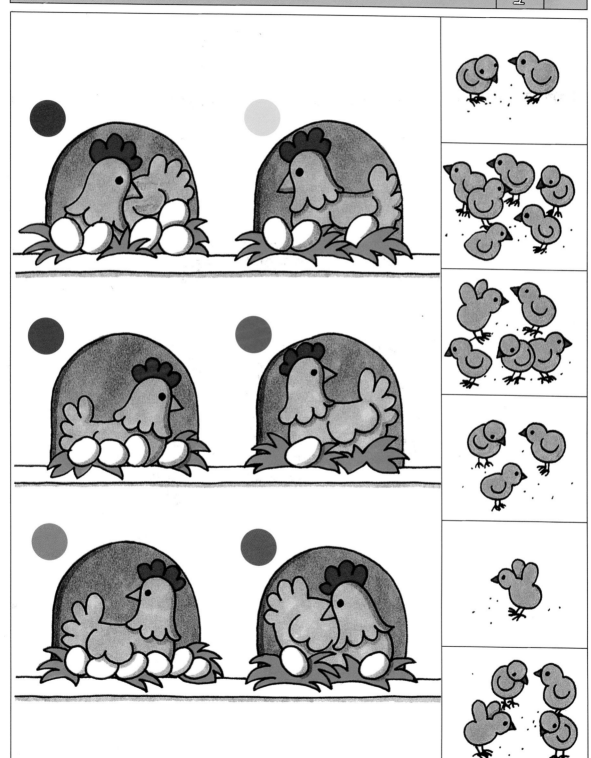

你认识这些水果和蔬菜吗？知道它们叫什么吗？请你讲一讲，并给它们涂上正确的颜色。

很多 植物和动物都非常有用。观察图画，想一想这些植物、动物与右边哪一样东西有关，找出来并说说它们之间的关系。

下面的图画中哪两幅图画是一类的，讲一讲为什么，然后用彩笔把它们连起来，并涂上颜色。

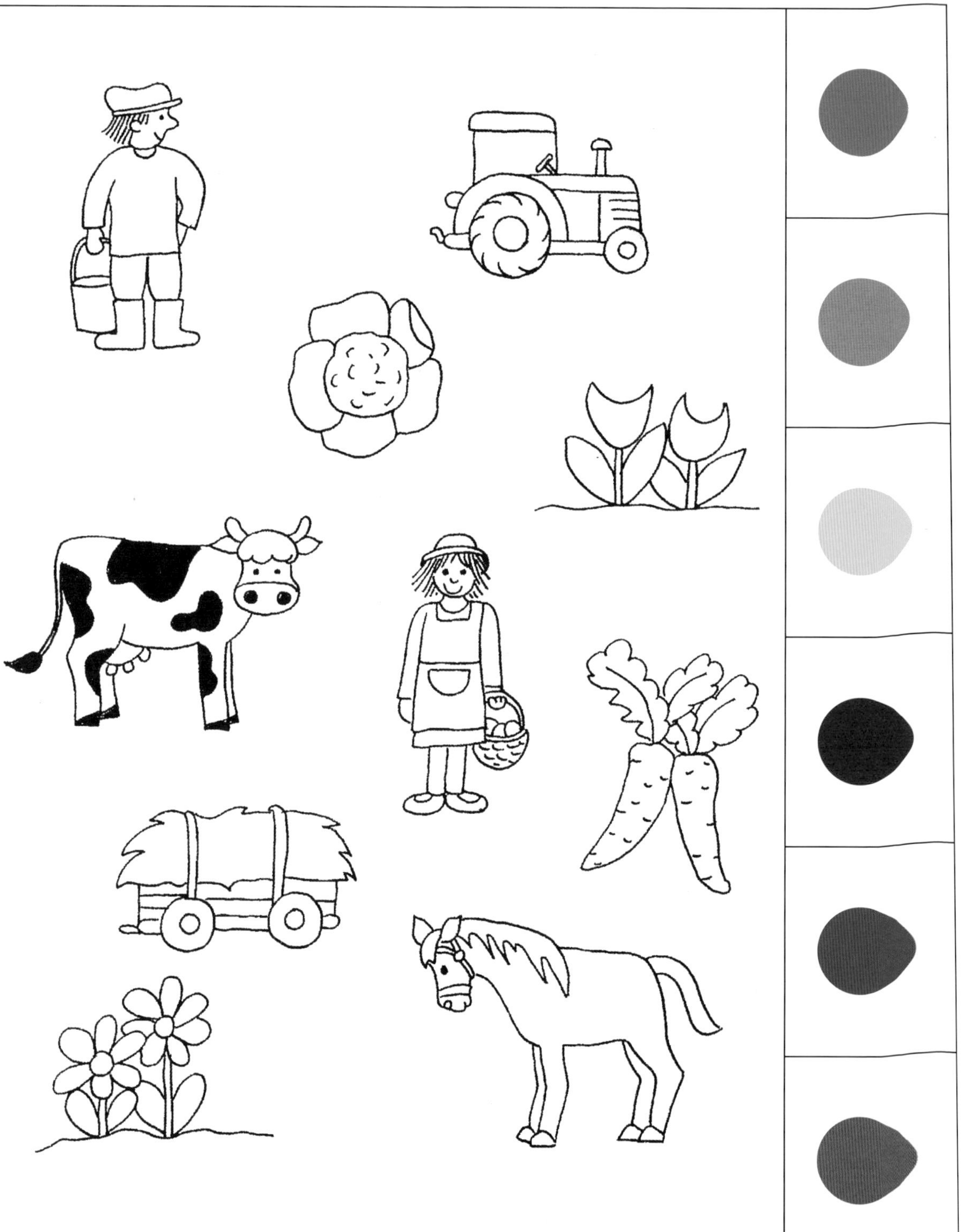

剪下这些小图片，并且按照正确的位置粘贴成一幅画，如果你都完成了，可以将画剪下，装帖好挂在墙上。